Caroline Auger   Jean-Luc Trudel

Une COURTEPOINTE pour *Chehab*

bayard canada

Chehab est assise tout en haut
de son lit mezzanine.
Pour se réchauffer, elle ouvre
la petite fenêtre de sa chambre
et tire sur le ciel mauve du matin.
Elle enroule l'aube autour de son cou
et referme la fenêtre.

Des voiles de toutes les couleurs pendent du plafond
et ressemblent à une aurore boréale.

L'enfant baisse les yeux pour parler à un chameau
dont la tête arrive à la hauteur du matelas :

— Uruk ?

— Mmm ? fait l'animal qui semble dormir debout.

— Peut-être qu'ils ne m'aimeront pas...

Le chameau ouvre un œil.

— Impossible. Tu es la petite fille la plus gentille que je connais.

— Je suis la seule enfant que tu connais, Uruk. Sans blague,
j'ai peur de ne pas avoir d'amis.

— Ma belle Chehab, mon étoile vive, j'ai confiance en toi.

— Pff… facile à dire ! Je ne suis qu'une petite rien-du-tout
qui vient d'un pays plein de trous. Je ne connais rien à rien.

— Ce n'est pas vrai. Tu connais la guerre. Pas eux. Tu as vécu
des expériences difficiles et ça peut te servir.

— À quoi ? À pleurer ? À faire des cauchemars ?

— À faire preuve d'empathie. Ça veut dire que tu comprends mieux
la tristesse des autres.

— Mais je ne sais pas s'ils vont vouloir
de moi. Je suis si stressée, Uruk !
Raconte-moi ton histoire de couleurs
et de courtepointe, s'il te plaît.

— Tout ce qu'il faut pour t'aider
à te sentir mieux, mon étoile.

Chehab s'approche d'Uruk et lui caresse la tête.
Il ferme à nouveau les yeux.

— Chaque humain naît avec une couleur unique. Celle-ci représente
sa créativité et ses émotions. Elle l'enrobe et le suit partout.
Les liens que les gens tissent entre eux forment des coutures invisibles.
Et toutes ces couleurs reliées entre elles créent une immense courtepointe
qui entoure la Terre et la rend plus belle.

— Mais… peut-être que les gens de ce pays ne connaissent rien
aux courtepointes…

— Au pays du froid, ils en connaissent un rayon en couverture,
crois-moi. Et puis, s'ils ont décidé de nous accueillir,
c'est qu'ils ont sûrement envie de nous connaître
un peu, non ? Laisse une chance à ce pays, Chehab.
Concentre-toi sur ses couleurs.

— C'est parce que j'ai peur…
J'ai peur de ne pas être assez douée,
assez intelligente, assez vive.

— Impossible ! Tu es une étoile !

— J'ai peur aussi que papa
ne se trouve pas de travail.
Mais ne lui dis pas, hein,
que j'ai peur pour lui ?

— Promis, Chehab. Promis. Mais je te conseille d'avoir peur d'une seule chose à la fois. Commençons par l'école, et pour le reste, *mektoub*!

— *Mektoub…* marmonne Chehab.

La fillette aime bien ce mot qui signifie qu'il n'y a pas de hasard dans la vie et qu'il y a des situations pour lesquelles on ne peut rien faire.

Une voix s'élève. Un homme à la peau de café et au sourire de sucre apparaît à la porte.

— Chehab ? Tu te prépares pour l'école, ma chérie ?

— Oui, papa, répond-elle en faisant signe au chameau de se taire.

La petite fille descend par l'échelle,
s'habille en vitesse et glisse un chameau
en peluche dans son sac à dos.
Elle laisse sortir la tête.

Après avoir mangé un croissant
du bout des lèvres et avoir brossé
ses dents, Chehab se poste
devant la porte d'entrée.

— Je suis prête, dit-elle d'une voix forte
à son père.

Ce dernier remarque la tête d'Uruk
qui dépasse du sac à dos de la fillette.

— Tu es certaine que tu veux emmener
Uruk à l'école ?

Chehab pousse sur la tête de la peluche
et referme le sac.

—Voilà ! Je vais le laisser au fond
de mon sac. Personne ne le verra.

— Hum, très bien.
Allez, je t'accompagne
jusqu'aux grilles de l'école.

— Mais non, papa! L'école est à deux coins de rue. Je peux m'y rendre toute seule.

— Bon, si tu veux. Je t'accompagne jusqu'au coin de la rue. Après, je te laisse marcher les quelques mètres qui restent comme une grande.

— D'accord.

Alors qu'ils sortent de l'appartement,
Chehab replace son foulard mauve
autour de son cou. Elle l'aime beaucoup,
car il appartenait à sa mère.

Son père lui sourit et verrouille la porte
en pensant à ceux qu'ils ont abandonnés.

— Tu vas me manquer aujourd'hui.
J'ai bien hâte de me trouver un travail.

— Je suis certaine que tu vas en trouver un
bientôt, papa ! Tu es tellement intelligent !

Chehab fait un grand sourire à son papa.
Elle ne veut pas lui montrer qu'elle a peur.
Le père et l'enfant marchent jusqu'au coin
de la rue.

Chehab embrasse son père et attend
qu'il ait le dos tourné pour ouvrir son sac
et laisser sortir la tête de son chameau.

En route vers l'école, Chehab se sent bien.
Au loin, elle croit apercevoir un désert
et d'autres chameaux qui marchent
lentement. Le soleil lui chauffe la peau.
Une véritable cacophonie l'empêche
de parler à Uruk. Elle se sent
comme dans son souk préféré,
ce marché où elle aimait tant aller
avec sa mère et où elles se faisaient
un peu bousculer. Ce doux souvenir
la fait sourire. Mais le bruit devient
vite agressant.

Elle est tirée de sa rêverie
par une main sur son épaule
accompagnée d'un son
incompréhensible :

— HÉ ! TUTAPPELLESCOMMENT ?

Chehab recule et écarquille les yeux.

Elle est arrivée dans la cour de sa nouvelle école
et plusieurs enfants la dévisagent.

— Tu devrais sourire, lui conseille Uruk.
Ça te donnerait un air sympathique.
Là, tu fronces les sourcils et tu as l'air bête.

Chehab sourit. Mais le cœur n'y est pas.
On dirait qu'elle fait une grimace.

La fillette referme discrètement son sac sur sa peluche,
ne laissant entrevoir que le bout du nez d'Uruk.
Elle regarde ceux qui l'entourent, terrifiée.

Certains touchent ses cheveux nattés, d'autres veulent prendre son sac. D'autres encore tentent de replacer son foulard qui s'est un peu relâché autour de son cou.

Un garçon à la tignasse frisée lui tend la main :

— **MOICESTJACOB ! TUTAPPELLESCOMMENT ?**

— Je crois que le petit échevelé veut connaître ton nom, explique Uruk.

La fillette secoue alors la main du garçon et répond d'une voix forte :

— **CHEHAB !**

Le garçon se tourne vers ses amis, le regard interrogatif.

— **TUCROISQUECESTSONNOM ?** demande-t-il
à une minuscule fillette aux yeux bridés et aux cheveux noirs.

— **JESAISPAS,** répond cette dernière.

Chehab redit son nom en se tapant sur la poitrine :

— **CHEEEHAAAAB !**

La petite aux yeux bridés hausse les épaules.

— **JAIRIENCOMPRIS !** réplique-t-elle en se tapant
la poitrine.

Puis elle lui tend la main en souriant.

— Tu crois que c'est son nom ? Elle s'appelle Jairiencompris ? demande Chehab à Uruk.

— Je ne sais pas, mais je te conseille de ne pas me parler devant eux. Ils vont te trouver bizarre.

Et c'est exactement ce qui se passe. Les enfants l'entendent et se poussent du coude en murmurant. Chehab est encore plus mal à l'aise.

Les enfants lui prennent alors le bras pour l'entraîner
au milieu de la cour d'école. Chehab se laisse faire,
étourdie par tout ce bruit.

Une cloche sonne et les portes métalliques de l'école s'ouvrent. Les enfants conduisent Chehab vers une classe. Elle entend des rires et des cris, mais aucun mot ne lui est familier.

Une dame arrive devant Chehab. Elle lui parle en articulant exagérément et en pointant différentes choses, mais la petite est tellement stressée qu'elle ne comprend rien.

Tous les élèves vont s'asseoir.
L'enseignante garde Chehab à l'avant
et la tient par l'épaule.
Elle s'adresse à la classe :

— **BONJOURTOUTLEMONDE !
JEVOUSPRÉSENTECHEHAB.**

Toute la classe applaudit.

Une porte claque.

Un petit garçon se lève
et fait tomber sa chaise.

Chehab sursaute.

La petite fille revoit son dernier jour de classe, dans son pays. Une sirène avait sonné très fort. Elle annonçait qu'une bombe allait tomber.

Tous les enfants s'étaient accroupis sous leurs bureaux, comme la maîtresse leur avait montré. Chehab tenait la main de sa copine Marah très fort. Et puis tout à coup, un grand bruit avait fait vibrer les murs. Les vitres avaient explosé. Le cœur de Chehab avait palpité et elle avait eu très mal à la tête. La main de Marah n'était plus dans la sienne.

Chehab sent qu'on lui touche la tête. Elle écarquille les yeux.
Elle est en boule sous son bureau. La maîtresse la regarde
avec une douceur inquiète. Elle est à quatre pattes devant Chehab
et elle lui tend la main.

— **TOUTVABIENPETITE ?**

Chehab ne comprend pas les mots,
mais elle comprend le langage
des yeux et des gestes. Elle s'extirpe
de sa cachette, gênée.

La fille aux yeux bridés est venue près d'elle pour l'aider
avec son matériel scolaire. Elle sort les choses du sac de Chehab.
Elle a de toutes petites mains et du vernis multicolore sur les ongles.
Elle trouve le chameau en peluche et le montre aux autres
en le faisant parler d'une grosse voix. Quelques garçons rient.

— On dirait qu'ils rient de moi, pense la fillette à voix haute.

Les enfants entendent : « *Yadhakun eali.* »

La petite fille lui demande :

— **TUVASBIEN ?**

Chehab hausse les épaules, découragée. Tous les yeux la scrutent.
Elle se sent transpercée, fouillée. C'est trop pour elle. Elle prend sa peluche
et se sauve de la classe.

L'enseignante crie son nom, mais Chehab ne veut pas s'arrêter.
Elle sort de l'école, et passe devant Uruk qui dort au milieu
de la cour. Celui-ci la hèle au passage :

— Hé! Où vas-tu, mon étoile filante?

Chehab ne répond pas.
Elle traverse la cour d'école
en courant.

Uruk a rattrapé Chehab et il la retient par le bas de son tricot.

— Laisse-moi, crie-t-elle à son chameau.

Mais Uruk tient trop à Chehab et il l'agrippe maintenant
par sa ceinture.

La fillette crie de plus belle :

— Je veux partir d'ici! Laisse-moi, Uruk!

— Et où iras-tu, ma chérie? Tu ne peux pas retourner dans notre pays.
Il n'y a plus d'école et notre maison n'est que poussière.

À son dernier mot, la petite fille se laisse tomber par terre. Elle pleure.

— Je ne veux plus aller à l'école, Uruk. Les enfants
ne me comprennent pas. Et je ne les comprends pas non plus.
Je ne me rappelle plus mes cours d'immersion.
Je veux rentrer chez moi.

— Mais qu'est-ce que tu dis? C'est ici, chez nous, maintenant.
Tu es partie avant d'avoir essayé pour vrai.

— C'est faux! J'ai essayé! répond-elle, en colère.

— Non. Je veux dire essayer vraiment. Ça prend du temps,
essayer, Chehab.

— Ils riaient de moi. La petite fille aux cheveux noirs t'a sorti
de mon sac, sans me demander la permission.

— Elle voulait être gentille.

— Tout le monde est gentil, à t'entendre.

— Pas tout le monde. Mais dans cette classe, tout le monde faisait
un effort pour l'être. Allez, monte sur mon dos. On va y retourner.

L'enseignante arrive en courant, suivie des enfants de sa classe. Chehab se dirige vers elle, la mine basse. Uruk lui chuchote des mots réconfortants :

— Mon étoile, regarde les signes si tu veux faire partie de cet endroit. Promets-moi que tu vas faire un effort. D'accord ?

— *Mektoub…* murmure Chehab.

L'enseignante la prend dans ses bras, l'air soulagé.

Puis, elle entraîne Chehab et les autres enfants vers la classe.

Chehab sent les larmes lui monter aux yeux, malgré elle.

Le petit frisé et son ami lui font des sourires.

Un grand garçon aux cheveux longs lève son pouce
en guise d'encouragement.

En entrant dans la classe,
Chehab détourne les yeux
et fixe le bureau de son
enseignante. Elle remarque
 alors une étiquette
sur laquelle est écrit :

BUREAU
Maktab
مكتب

Surprise, Chehab lève la tête
et regarde le tableau devant elle.
Une large étiquette
s'y trouve également :

TABLEAU
Saburat
سبورت

Chehab sourit. Elle a appris
les lettres pour former
les mots en français,
mais elle a encore du mal
avec le vocabulaire.
Ces étiquettes vont l'aider.
En tournant la tête,
elle constate que chaque objet
de la classe a été identifié.

Tableau
Saburat
سبورت

Livres
Ketob
كتب

Bureau
Maktab
مكتب

Poubelle
Sandouk Elkamaama
صندوق الكمامة

Puis Chehab aperçoit une grande mosaïque
de carton qui a été collée sur un des murs.
Sur chaque carton est dessiné le visage
d'un enfant et son nom y est écrit.

Chehab se lève et s'approche du mur.
Elle reconnaît la petite fille aux yeux bridés
et aux cheveux de jais. Sous son visage
est écrit : Mia. Elle ne s'appelle donc pas
Jairiencompris. Le garçon frisé se nomme
Jacob, et son ami, Justin. Celui qui a levé
le pouce, Éli.

Au centre de la mosaïque, un carton vide attend
Chehab. L'enseignante s'avance à pas feutrés
et elle lui tend un crayon.

La petite fille dessine son visage, puis elle écrit son nom
en grandes lettres.

Les enfants se sont rapprochés et lisent son nom.
Ils le murmurent, l'écorchent, le chantent, l'épellent.
Plus ils le prononcent, plus Chehab se sent bien.
Comme si elle avait maintenant le droit d'exister
parmi eux. Elle pointe alors chacun des visages
de carton et prononce les noms de ses camarades
de classe. Pour qu'ils prennent eux aussi une place
dans sa vie. Elle écrit ensuite, à côté de chaque dessin,
leurs noms en arabe.

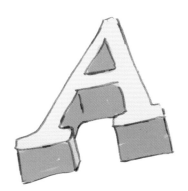

Les enfants s'émerveillent de voir cette écriture
qui ressemble à une œuvre d'art. Les lettres volent
comme des oiseaux noirs. De droite à gauche.
Les élèves rient chaque fois qu'elle dit leur nom
en arabe, et Chehab rit avec eux. Ensemble,
ils forment une courtepointe. Chacun est différent.
Chacun a son histoire. Chacun a sa couleur.

Lorsqu'elle retourne à sa place, Chehab chuchote :

— Uruk ?

Pas de réponse. Elle entrouvre son sac. La peluche la fixe
de ses yeux de billes.

— *Shukran*, Uruk… Merci, mon ami.

Chehab caresse son toutou et ferme son sac. Elle n'a plus besoin
de lui aujourd'hui. Elle est prête à affronter tous ces nouveaux mots
qui volent dans la classe et à apprendre tous les noms de la mosaïque.

Et pour le reste… ***Mektoub !***

Catalogage avant publication de Bibliothèque et Archives nationales du Québec
et Bibliothèque et Archives Canada

Titre : Une courtepointe pour Chehab / Caroline Auger ;
    illustrations, Jean-Luc Trudel.
Noms : Auger, Caroline, autrice. | Trudel, Jean-Luc, 1959- illustrateur.
Identifiants : Canadiana 20190036613 | ISBN 9782897702519
Classification : LCC PS8601.U3793 C68 2020 | CDD jC843/.6—dc23

Direction éditoriale : Sylvie Roberge
Direction littéraire et artistique : Maxime P. Bélanger
Révision : Marie Labrecque
Illustrations : Jean-Luc Trudel
Traduction des mots arabes : Sara Rebeiz Abimeri
Mise en pages de la couverture et de l'intérieur : Sophie Benmouyal

© Bayard Canada Livres inc. 2020

Nous reconnaissons l'appui financier | Canadä
du gouvernement du Canada.

Conseil des arts   Canada Council
du Canada   for the Arts

Nous remercions le Conseil des arts du Canada de l'aide accordée
à notre programme de publication.

Cet ouvrage a été publié avec le soutien de la SODEC. Gouvernement du Québec –
Programme de crédit d'impôt pour l'édition de livres – Gestion SODEC.

bayard canada

Bayard Canada Livres
4475, rue Frontenac, Montréal (Québec) Canada H2H 2S2
edition@bayardcanada.com
bayardlivres.ca

Imprimé au Canada